UPRISING

ALZAMIENTO

poems by

Lisbeth Coiman

Finishing Line Press
Georgetown, Kentucky

UPRISING

ALZAMIENTO

Mike,

Let's take care
of our fragile

democracy..

Isbeth Oosman

ACKNOWLEDGMENTS

Graceful acknowledgement is made to the following publications where
these poems, sometimes in other versions, have appeared:

La Bloga: "Banyan Grove" and "A Rosary for Venezuela"

Women Who Submit Blog: "Oxygen Mask"

Liberty / Lady / Lit: "De Mujer a Mujer"

Acentos Review: "El Guaire"

Altadena Literary Review 2020: "Second Law of Newton," "Immigration
Status: Grieving," and "Protective Shroud."

Resonancias Literarias: "Voz en la oscuridad," "Segunda ley de movimiento
de Newton," "Situación de inmigración: luto," "Cómo escapar de
circunstancias adversas," "Manto protector," "La experiencia necesaria,"
"Arboleda de Banyan," and "Redescubriendo."

lisbethcoiman.com: "How to Escape Adverse Circumstances"

Publisher: Leah Huete de Maines
Editor: Christen Kincaid
Cover Art: Francisco Itriago
Author Photo: Melissa Johnson
Cover Design: Elizabeth Maines McCleavy

Order online: www.finishinglinepress.com
also available on amazon.com

Author inquiries and mail orders:
Finishing Line Press
P. O. Box 1626
Georgetown, Kentucky 40324
U. S. A.

Table of Contents

Transformations / *Transformaciones*

For
My siblings and childhood neighbors

Dedicado a
Mis hermanos y vecinos de la infancia

Culture of Blood

This massacre I transit through for inspiration
To feel the pain, the grief, the indignation, and joy, I write and confess the discussion
spoils of rubber bullets in my soul.
The creations are lines of blood in poetic action against injustice.

Cultura de Sangre

Esta masacre es donde transito al inspirarme.
Al sentir el dolor, el luto, la indignación y la felicidad, escribo y confieso la discusión del
despojo de los perdigones en mi alma.
Las creaciones son líneas de sangre en la acción poética contra la injusticia.

Felipe Itriago
Mucuchíes, Venezuela

A note about this collection:

... when we take lively flight in ruthless truth...
Felipe Itriago

In fluid dialogue over liquid screens, I feel overwhelmed and saddened by the images of starvation and abuse my friends and family send to me daily from Venezuela. I drag this heavy crux in the commute to work and bring it back with me in the evening. It lies with me in bed for endless nights of interrupted dreams. It doesn't give me a minute respite from its weight, this cross of mine: the knowledge that the land in which I was born has been brought to its knees.

In these digital exchanges, I am aware of my privileged position. I am sheltered behind my weapon, a humble Logitech keyboard and a word processor. Paper cannot break down in the rain of tear gas, nor risk losing its sight to rubber pellets fired at point blank. But I know how to hack Logitech to make my ñ bien bonita. I am your cultural worker lifting your limp consciousness from the stagnating waters of cold war dialectics, and into the awareness of the human beings at the center of this crisis. A woman sin pelos en la lengua tells the truth of a country run with the business model of a narco-cartel branded with an outdated ideological flag. I speak to those who lack a window into the reality of my once-wealthy nation.

My poetry doesn't slip easily through my fingers, but will cut deep into those pretending to explain a complex reality with ideological simplicity, with "Orchestrated Coup d'état" theories. I conjure these words hoping to shift consciousness, to stir conversation towards human suffering and despair, and towards the vehicles through which we can offer support, strategic alliances, and humanitarian help to struggling Venezuelans. I want my words to be the prayer of solace to the war-zone doctors, blowing Mother Mary's halos into the mouths of the wounded, to the mothers alternating lentils and caraotas in the endless cycle of mitigating hunger. And if I can't accomplish anything else, at least I want to honor the young Venezuelans who fight for their future, fight for my parents' right to a dignified old age, fight for my siblings' right to eat a decent meal.

For my adoptive land, I offer a chip of my cross for keepsake. I intend to open a window into the lives of the crisis, why they rise up, stand up, what dissent looks like in a country without a notion of Human Rights: the Libertarios on the asphalt, my siblings trekking the hills from their homes to care for our parents, my childhood neighbors, and adult friends, and the men I once loved, those who cannot speak about the daily assault to human dignity, of kidnapping, of gasoline shortages, drive-by massacres, interrupted water and electricity, lack of medical supplies, collapsing infrastructure, and hyperinflation. My verses are also a vantage point to observe the exodus of asylum seekers searching for a place to stop along the same path our Libertador, Simón Bolivar, took during the Independence War (From April 19, 1810 to 1823).

With these poems I reclaim my people's ownership of the uprising. The collection gives voice to all those I left behind in this series of farewells and encounters my life became, away from the land of my youth, like Felipe Itriago, my nephew. Itriago survives his hyper-reality by writing poetry, which I include at the beginning of each section of this collection to help me carry the emotional load of grieving from the distance for my Motherland.

A Note on the Spanish Version

A poem may reveal itself to me first in Spanish or English. However, the version of one piece in the second language should not be read as a translation. It is rather a reaction to the text in another language, a *tradaptation*. Therefore, what you are about to read is not the work of a poet and a translator, but the craft of a bilingual poet.

Nota sobre esta colección

...al alzar el vuelo vivaz en despiadada verdad...
Felipe Itriago

En el diálogo que fluye sobre pantallas líquidas, me sobrecogen y entristecen las imágenes de la hambruna y el abuso que mis amigos y familiares me envían diariamente desde Venezuela. Arrastro mi cruz en el camino al trabajo y la traigo de vuelta a casa al final de la jornada. Me acompaña en la cama en noches interminables de sueños interrumpidos. No me da un segundo de tregua con su peso, mi cruz: el saber que el lugar donde nací ha sido doblegado y se encuentra de rodillas.

En estos intercambios digitales, tengo consciencia de mi posición privilegiada. Estoy resguardada detrás mi arma de fuego, un humilde teclado Logitech y un procesador de palabras. El papel no se deshace en la lluvia de bombas lacrimógenas, ni corre el riesgo de perder la vista por causa de perdigones de goma disparados a quemaropa. Pero yo conozco el truco para que la "ñ" me quede bien bonita. Soy una trabajadora cultural, levantando la mentalidad inerte de las aguas estancadas en la dialéctica de la guerra fría, para llevarlas al suelo fresco de la presencia humana en el centro de esta crisis. Soy una mujer sin pelos en la lengua, recitando verdades de un país con el modelo administrativo de un cártel de narcotráfico, que usa una bandera de ideología caduca. Le hablo a aquellos que carecen de una ventana para ver la realidad de esta nación otrora opulenta.

Los versos no surgen fáciles en la punta de mis dedos, pero les llegarán bien adentro a aquellos que pretenden explicar una realidad compleja con simplicidad ideológica, con teorías de "golpes de estado orquestados." Conjuro estas palabras con la esperanza de transformar conciencias, guiar la conversación hacia el sufrimiento y desesperación humana, y hacia los vehículos a través de los cuales podemos ofrecer apoyo, alianzas estratégicas, y ayuda humanitaria a los venezolanos que están sufriendo esta desgracia. Quiero que mis palabras sean una plegaria de sosiego para los médicos en la línea de guerra, soplando auras de Madre María en las bocas de los heridos, para las madres alternando platos de caraotas y lentejas en el ciclo vicioso de mitigar el hambre. Y si no puedo lograr nada, al menos quisiera honrar a los jóvenes venezolanos peleando por su futuro, luchando por el derecho de mis padres a una vejez digna, bregando por el derecho de mis hermanos a una comida decente.

A mi país adoptivo, le ofrezco un pedacito de mi cruz como recuerdito. Abro una ventana para observar las vidas de esta crisis, el por qué se rebelan y se alzan, cuál es la cara del disentir en un país sin noción de derechos humanos: los libertarios en el asfalto, mis hermanos atravesando los caminos verdes entre dos pueblos para llevar comida a nuestros padres ancianos, los vecinos de mi infancia, los amigos adultos, y los hombres que alguna vez amé, aquellos que no pueden hablar del asalto diario a la dignidad humana, de secuestros, de desabastecimiento de gasolina, de masacres sobre ruedas, de la interrupción de los servicios de agua y electricidad, de la falta de insumos médicos, del colapso de la infraestructura, y de la hiperinflación. Mis versos son también un mirador para observar el éxodo de venezolanos buscando asilo y un lugar donde descansar a lo largo del mismo trayecto que recorriera nuestro Libertador, Simón Bolívar, durante la Guerra de Independencia (desde abril 19, de 1810 a 1823).

Con estos poemas reclamo la partida de nacimiento de mi gente sobre el alzamiento. Esta colección le da voz a aquellos que dejé atrás en esta serie de despedidas y encuentros en que se convirtió mi vida lejos de la tierra de mi juventud, como Felipe Itriago, mi sobrino. Itriago sobrevive la hiper-realidad escribiendo poesía, la cual incluyo al principio de cada sección de este poemario para ayudarme a mí misma a sobrellevar el peso emocional del duelo en la distancia por mi madre patria.

Nota sobre la versión en español

Un poema puede revelarse ante mi primero en español o en inglés. Sin embargo la versión de una pieza en el segundo idioma no debe leerse como una traducción. En cambio, es una reacción al texto en otra lengua, una *tradaptación*. Por lo tanto, lo que Ud. va a leer no es el trabajo de una escritora y traductora, sino la labor de una poeta bilingüe.

Uprising / Alzamiento

Liberty Chained by Evil
Liberty is sanctioned by the devil, expression on the streets is a shot in the eyes of innocence.
The injured beasts act, tied to the scars of the nation's funeral.

Libertad encadenada por la maldad
La libertad está sancionada por el diablo, expresarse en la calle es un disparo a los ojos de la inocencia.
Actúan las bestias heridas, amarradas en la cicatriz del entierro nacional.

Felipe Itriago

Mucuchíes, Venezuela

A Rosary for Venezuela

I am a radical atheist relearning to pray.
Kneeling to conjure devotion, I hold my motherland between the palms of my hands, to protect her against all evils. My words, the beads of the rosary slipping through my fingers.

First Sorrowful Mystery—Agony

Lord, put the right words in my mouth.
I am not a journalist, just a scribbler who feels her native land between her rib cage and her seventh vertebrae. Not a refugee nor asylum seeker. A first generation immigrant with a peculiar diction. My identity contained in the expired passport of a country that no longer exists.

Second Sorrowful Mystery—Washing of the Hands

Allow me Lord to reclaim the ownership for my people's uprising, to validate the courage of twenty years of struggle against the impostor hiding behind an outdated ideology, acting like the emperor he claims to fight in his robinhood fiction.

Let me write of Bachelet washing her hands in the pool of the Secretariat Building.

Third Sorrowful Mystery—Crowning with Thorns

Lord hear my prayer. End the usurpation of power, give us an interim government, call for general elections, and allow the release of political prisoners. Sacred Auyantepui watches in silence while the guardians of Angel Falls bleed to death in the jungle.

Fourth Sorrowful Mystery—Via Crucis

Lord be the witness. From a palace on a hill, the caricature of a man executes his only job, make martyrs of those attempting to survive.

Fifth Sorrowful Mystery - Crucifixion

Peace medicine burns inside trucks at border crossings of hope and despair.

Litany—Mercy
May those who have eyes see, those who have faith pray, those who have art create awareness
May the hungry be fed, the sick be healed, and the desperate be comforted
May Maduro leave to avoid more bloodshed
May a period of reconciliation follow
May Venezuela be free

Un Rosario por Venezuela

Soy una atea reaprendiendo a rezar.
De rodillas invoco devociones. Sostengo a la madre patria entre las palmas de mis manos para protegerla de todo mal. Mis palabras, las cuentas del rosario deslizándose por mis dedos.

Primer Misterio Doloroso—Agonía

Señor, coloca las palabras adecuadas en mis labios. No soy periodista, apenas una escribidora que lleva su tierra natal entre la caja torácica y la séptima vertebra. Ni soy refugiada, ni busco asilo. Soy una inmigrante de primera generación con una dicción peculiar. Mi identidad contenida en el pasaporte caduco de un país inexistente.

Segundo Misterio Doloroso—Lavado de las Manos

Permíteme señor reclamar la propiedad del levantamiento de mi gente, validar el coraje de veinte años de lucha contra el impostor escondido detrás de una ideología decrépita. Ese actúa como el emperador que dice combatir en su ficción de Robin Hood.

Permíteme mencionar a Bachelet, quien se lavó las manos en la fuente del Edificio del Secretariat.

Tercer Misterio Doloroso—Coronación de Espinas

Señor, escucha mi plegaria. Ponle fin a la usurpación, danos un gobierno de transición, llama a elecciones generales, y libera a los presos políticos. Auyan-Tepui sagrado observa en silencio mientras los guardianes del Churún Merú se desangran en la selva.

Cuarto Misterio Doloroso—Vía Crucis

Señor, sé mi testigo. Desde el palacio en la colina, la caricatura de un hombre ejecuta su única labor, convertir en mártires a aquellos que intentan sobrevivir.

Quinto Misterio Doloroso—Crucifixión

Medicina de paz arde dentro de camiones en los cruces fronterizos de la esperanza y la desesperación.

Letanía - Misericordia
Ojalá que aquellos con ojos vean, aquellos con fe recen, y aquellos con arte creen conciencia.
Ojalá el hambriento consiga alimento, el enfermo sanación, y el desesperado consuelo.
Ojalá Maduro abandone el poder para evitar más derramamiento de sangre.
Ojalá después siga un período de reconciliación.
Ojalá Venezuela sea libre.

The Shield

(Multimedia link with the sound of real battle on the streets)

A festive and brave woman
She built me to protect her youngest at the edge of the abyss
She carved me from wood to honor the crucifixion
Covered me with the gold abundant under her feet
Crafted an anchor for the battle from worn belt buckles

Her ingenuity shines on
the humble lids of garbage bins and the urban skateboards
shielding her offspring in the battle
against the impostor

The warm winds of the Caribbean
Dry the blood on my face

The skateboard falls down the hill
A head cracks against barricade
The lid rattles on the ground when it falls

I hold my place   my body shaking against the ammunition

Rubber pellets pockmark eyes
with a dark future
Tear gas storms over her children

Escudo

(Enlace multimedia con el sonido real de la batalla en las calles)

Una mujer alegre y bravía
Me construyó para proteger a los más jóvenes
Aquellos al borde de este abismo

Me talló en madera para honrar la crucifixión
Me bañó con el oro abundante bajo sus pies
E improvisó un asidero con hebillas usadas
Para que se agarraran
Durante el temblor de la batalla

Su ingenio brilla
En las humildes tapas de basura
Las patinetas urbanas
Protegiendo a su prole en la guerra
Contra el impostor

Los vientos cálidos del Caribe
Secan la sangre que mancha mi rostro

La patineta rueda calle abajo
Una cabeza se abre como un coco en la acera
La tapa del basurero hace un escándalo metálico al caer sobre el asfalto

Mantengo mi posición   Mi cuerpo tiembla bajo la fuerza de las balas

Perdigones de goma marcan los ojos
Con un futuro oscuro
Tormenta de gases lacrimógenos llueve sobre sus hijos

El Guaire

"You'll drink water from El Guaire"
Hugo Chavez Frías, 2006

Before I was born
A pristine future
streamed down from El Ávila tributaries
into El Guaire
Families lounged on its shores
Boats sailing southeast
pastoral landscape
of a small un-barreled city

Pride for
First constant source of energy
in the subcontinent

Unplanned growth and expansion
of a 167 square-mile city lacking sanitation
Applause for canals draining sewage into the river
prone to flooding
The beginning of entropy
Turn to gestures of disgust

Oil boom of the 70s
caraqueños cover hills
asphyxiating crowd & stagnated traffic
El Guaire converted into a torrent
of human and industrial waste

Late Jurassic rocks
only reminders of the river's splendor

Who needed clean water?

Oil revenues a constant flow down the street
Infrastructure projects
Celebrated with cocktails

of corrupt allocations and nepotism

He who drank the blood of tigers
in the gardens of the presidential palace
to secure passage into eternity
Promised to clean the sewage
return it to its pristine past
            and the red seals clapped

Vulnerable protesters jumped into El Guaire
to escape tear gas

            The promise has been delivered
            People are bathing in El Guaire

On social media
only reliable news
from my dystopian homeland
El Guaire miners go underwater
to recover discarded metals
            to trade for food

Hundreds of citizens slide down the sewage
carrying plastic containers

to quench their thirst
with the waste of a country gone awry

El Guaire

"Beberán agua de El Guaire"

          Hugo Chávez Frías, 2006

Antes de nacer
Un futuro claro
Descendía de los tributarios del Ávila
Y caía en el Guaire

Familias enteras retozaban en las orillas
Los fines de semana
Mientras barcos navegaban hacia el sur este
Tal era el paisaje pastoral
De esta pequeña ciudad sin barriles

Orgullo
Por la primera fuente de energía
Constante en el subcontinente

Crecimiento y expansión sin planificación
De una ciudad de 21 Km de largo carente de infraestructura para saneamiento
Aplausos por cloacas canalizadas desembocando en este río
Con tendencia a inundaciones
Comienzo de la entropía
Tórnanse en gesto de repugnancia

El boom petrolero de los 70
Caraqueños se mudan a las colinas
Multitud asfixiante y tráfico estancado
El Guaire se convirtió en un torrente
De desecho humano e industrial

Rocas del Jurásico posterior
Los únicos recuerdos del esplendor
Del río

¿Quién necesitaba agua limpia?

Los petrodólares corrían por las calles en torrentes
Proyectos de infraestructura
Celebrados con cocteles
De corrupción y nepotismo

Aquel que bebió la sangre de tigres
En los jardines del palacio presidencial
Para asegurar su eternidad
Prometió limpiar la cloaca
Regresar el río a su pasado prístino
            y las focas rojas aplaudieron

Protestantes vulnerables saltaron dentro del Guaire
Para escapar bombas lacrimógenas

        La promesa ha sido cumplida
        La gente se está bañando en el Guaire

En las redes sociales
La única fuente confiable de noticias
De la distopía vivida en mi país natal
Los mineros del Guaire
Se sumergen
Recuperando metales desechados
            para el trueque por comida

Cientos de ciudadanos se deslizan por el canal
Llevando consigo botellones de plástico

Para calmar la sed
Con el desperdicio de un país venido a menos

Rhabdomyolysis

June 30th, 2019

Electrocution
of the human body
Pillages the space of oxygen
in the bloodstream
Mashes muscle fiber
Causes kidney failure

Rafael Acosta Arevalo
in a wheel chair
Head hung forward
before a judge

Only eight healthy ribs
Sustained his mangled torso long enough
for him to whisper a plea
barely audible to his lawyer
"Auxilio"

Witnesses in the courtroom
did not stand up to block
the henchmen taking him away
People did not run to the streets to save him

A day later
one hour for each of his heroic ribs
which suspended his voice
The slush entered his brain

Acosta Arevalo died from torture.

Rabdomiólisis

30 de junio, 2019

Electrocución
Del cuerpo humano
Hurta el espacio del oxígeno
En el torrente sanguíneo
Tritura la fibra del músculo
Causa insuficiencia renal

Rafael Acosta Arévalo
En una silla de ruedas
Cabeza colgando hacia adelante
Ante un juez

Con sólo ocho costillas sanas
Sosteniendo su torso destrozado
Lo suficiente
Para poder susurrar una súplica
"Auxilio"

Los testigos de la corte
No se levantaron para bloquear
El paso de los verdugos que lo arrastraban
La gente no salió a la calle a salvarlo

Un día después
Una hora por cada una de sus costillas heroicas
Que sostuvieron su voz
La viscosidad entró al cerebro

Acosta Arévalo murió de tortura.

A Voice in the Dark

I will not remember
The silence of those who left me alone

I will remember
The voices that held my hand in the dark

And whispered
I'm here with you

Voz en la oscuridad

No recordaré
El silencio de aquellos que me dejaron sola

Recordaré
Las voces que sostienen mi mano en la oscuridad

Susurrando
Estoy aquí contigo

The Word They Can't Speak

Hitting send dents
fragile ego of the impostor

The sin of looking for a word they can't/shouldn't/mustn't pronounce
Can descend the sender
into darkness of a dungeon
called the White Tomb

To tend the nest
of ten hunger diet/strikers
Who sit in this den
and die

to end
the dissection
of frozen human bodies
speaking the truth

Dissent

La palabra impronunciable

Tocar la tecla *Enter*
Mella el ego frágil del impostor

El pecado de buscar una palabra que ellos no pueden/no deben pronunciar
Puede hacer que el mensajero
Descienda a la oscuridad de una mazmorra
Llamada La Tumba Blanca

Para cuidar el nido
De diez huelguistas de hambre
Sentados en esta celda
Y morir

Para acabar con
La disección de cuerpos congelados
Declarando verdades

Disiente

Uprising: *N. A Revolt, an Insurrection. V. To Stand Up and Rise; To Rise Into View.*

1. A human river floods Avenida Libertador and Avenida Bolivar.

    Pubescent bodies shake behind makeshift shields and masks fashioned from plastic bottles and rags.

    A violinist and a ballerina perform in front of the armored vehicle. After the musician is captured, his face is rendered unrecognizable.

    A young woman offers a flower to the line of riot police while the stolid abuela stands in the way of a moving tank.

2. Emaciated souls march single file through The Andes, border-crossing river swelling with dissent and desertion.

3. On an improvised stage, an unquavering young man swears to protect the constitution. Hope stands up defiant, and takes the oath in front of his peers.

    Voices rise to describe dystopia in a hundred second languages. Keyboard warriors tweet the sorrow of a woman carrying the limp body of her teenage daughter. Bloggers comment on seniors lining up for a ration of rice with added bugs for protein. Journalists report of nocturnal dances around currency bonfires. A rezandera wrestles with the oxymoron of an oil rich country without gasoline.

    Spring meets the silhouette of two men. Courage is marked by chained bracelets around their wrists. Eyes hold the images of darkness, torture, isolation.

4. Eyes retreat to see the bright future of a nation slowly climbing the upward slope of freedom.

Alzamiento: *Sustantivo: Revuelta, levantamiento, poblada. Verbo: Rebelarse, resistir, pronunciarse.*

1. Un río humano inunda las Avenidas Bolívar y Libertador.

   Cuerpos pubertos tiemblan detrás de escudos improvisados y máscaras de oxígeno creadas con botellas plásticas y trapos humedecidos en vinagre.

   Un violinista y una bailarina actúan frente a un vehículo blindado. Después que capturan al músico, le dejan el rostro irreconocible.

   Una mujer joven ofrece una flor al pelotón antimotines, mientras una abuela imperturbable se enfrenta a un tanque de guerra en movimiento.

2. Almas emaciadas marchan en fila a través de Los Andes, ríos fronterizos hinchados con disentimiento y deserción.

3. Sobre una tarima improvisada, un joven gallardo surge como esperanza. Desafiante se yergue para tomar el juramento delante de sus compañeros.

   Voces se alzan para describir distopía en cien idiomas extranjeros. Los guerreros del teclado tuitean la pena de una mujer cargando el cuerpo inerte de su hija adolescente. Blogueros comentan sobre ancianos en fila esperando una ración de arroz con chiripas, a manera de proteínas. Periodistas reportan danzas nocturnas alrededor de fogatas alimentadas con billetes inservibles. Una rezandera lucha con el oxímoron de un país rico en petróleo y carente de gasolina.

   Un amanecer de marzo revela las siluetas de dos hombres. El coraje marcado por las esposas en sus muñecas, sus ojos cargados con las imágenes de la oscuridad, tortura y aislamiento.

4. Ojos se retraen para ver el futuro brillante de una nación que lentamente transita la empinada colina de la libertad.

Newton's Second Law of Motion

To my parents on my 55th birthday

Learning the laws of letting go
Excavating trauma
Medicating trauma
Thinking forgiveness inhabits a kingdom
for which I bear no passport or entry visa
While holding the past
With both hands folded over chest

A survival trophy

Until mother's voice message

Your father weighs 112 pounds

Or brother's WhatsApp reads

I was able to bring them water today
They've had no electricity for a week

Till no solid ground
Exerting a force equal to
the weight of my resentment
Can hold your feeble legs
in the line for a monthly ration

Segunda Ley de Movimiento de Newton

A mis padres, en mi cumpleaños 55

Aprender las leyes del desaferro
Excavando el trauma
Medicando el trauma
Pensando que el perdón habita en un reino
Para el cual no tengo ni pasaporte ni visa de entrada
Mientras sostengo el pasado
Con ambas manos cruzadas sobre mi pecho

Un trofeo a la sobrevivencia

Hasta que el mensaje de voz de la madre dice

Tu papá pesa 51 kilos

O el WhatsApp del hermano

Hoy les llevé agua.
Tenían una semana sin luz

Hasta que ninguna base sólida
Ejerciendo una fuerza equivalente al
Peso de mi resentimiento
Puede mantener tus piernas débiles
En la fila de la ración mensual

De Mujer a Mujer

To Venezuela

Mujer   I talk to you without hair on my tongue
without a drawer inside to hold unspoken truths
Here is a mojito
Take a sip

Young attractive educated
and fucking rich
You are anything but naïve

You have fallen into every trap
First   they hit on you
wrap you around their pinky fingers
As soon as you spread your legs
they beat you
kidnap you
rape you
enslave you
starve you

Not to enjoy your body
mind you   it's hot
All they want is to live on your back
          Fucking pimps
fanning their testicles
dilapidating your infinite wealth

Is that mojito strong enough?
Easy mujer
I want you alert
not drunk

          Me echó tierrita en los ojos

Yeah right   See where his sweet talk brought you
You've become a beggar in rags

eating from the garbage truck
stretching right and left hoping for a hand-out to feed your brood

No puedo ver a tantos niños muriendo de hambre

Look at the pimp who says he'll defend you
while waving his friends' flags   not yours
Look at his watch   his private jet   his feasts for kings
Where do you think that comes from?
door-to-door sales of Avon products?

Su verdadera cara escondida detrás de una bandera caduca

Every time a new Jack shows up at your door
warming up your ears
You fall for the same old trick
and offer him your botija

With slumber still heavy on your eyelids
you sit at a low table in the park to learn to play chess
onlookers stop to pay attention to your moves
from the sidewalk   I scream to you my Queen

Now   stop being such a pendeja
Get your children together
and set yourself free

De mujer a mujer

A Venezuela

Mujer   te hablo sin pelos en la lengua
Sin una gaveta donde guardar verdades no dichas
Aquí tienes este mojito
Tómate un trago

Joven atractiva educada
E inmensamente rica
No eres otra cosa que una pobre incauta

Has caído en cuanta trampa te han tendido
Primero   te calientan la oreja
Te mueven como marioneta
Tan pronto abres las piernas
Te golpean
Te secuestran
Te violan
Te esclavizan
Te matan de mengua

No para disfrutar tu cuerpo
Por cierto   estás buena
Lo que quieren es vivir de tu espalda
          malditos chulos
Echándose aire en las bolas
Dilapidando tu riqueza infinita

¿Está fuerte el mojito?
Toma con calma, mujer
Te quiero alerta
No ebria

          Me echó tierrita en los ojos

Ya ves   donde te llevó con su labia
Convertida en una mendiga en harapos

Comiendo del camión de basura
Arrojándote a diestra y siniestra por una limosna para alimentar tu prole

No puedo ver a tanto niño muriendo de hambre

Mira al alcahuete   dice que te defenderá
Mientras iza bandera   no la tuya sino la de sus amigos
Mira su reloj de pulsera su avión privado   sus festines dignos de
reyes
¿De dónde crees que salieron
De sus ventas a domicilio de productos Avon?

Su verdadera cara escondida detrás de una bandera caduca

Cada vez que un nuevo rufián
Llega a tu puerta
A calentar tu oreja
Vuelves a caer en el mismo truco y le ofreces tu botija

Con el peso del sueño todavía sobre tus párpados
Te sientas en una mesita en el parque a jugar ajedrez
Los curiosos se detienen a observar tus jugadas
Desde la acera   te grito a ti   mi Reina

Deja de ser tan pendeja
Reúne a tus hijos
Y libérate a ti misma

Exodus / Éxodo

Surviving Contraband
The borders are paranormal and painful roads that people cross over rocks and concrete to survive, to escape.
We are surviving birds when we take lively flight in ruthless truth.

Sobreviviendo al Contrabando
Las fronteras son caminos paranormales y dolorosos que las personas cruzan sobre las piedras y el cemento para sobrevivir y escaparse.
Somos aves supervivientes al alzar el vuelo vivaz en despiadada verdad.

Felipe Itriago
Mucuchíes, Venezuela

16,076 Feet Above the Sea

Single file march
plastic bags wrapped around bodies
Hope and oxygen is scarce above the tree line
But Papa Bolívar knew how

Paramo Berlin, Colombia
16,076 feet above sea level
A two-way road along this stretch in the Andes
121 miles between despair and uncertainty

On the perilous stretch
Marchers discover death by hypothermia
between Cucuta and Bucaramanga
Accept food and clothes from the Samaritans of the mountains

On the way down to an unknown future
Bodies regain heat despite starvation
And litter the road with broken promises
Single file march out of inferno

4900 metros sobre el nivel del mar

Marcha en fila india
Cuerpos envueltos en bolsas de basura
Esperanza y oxígeno escasos por encima de la línea de los árboles
Pero Papá Bolívar supo qué hacer

Páramo Berlín, Colombia
4900 metros sobre el nivel del mar
Una carretera doble vía atraviesa este estrecho andino
194 kilómetros entre la desesperación y la incertidumbre

En este trecho peligroso
Los caminantes descubren la muerte del mal de páramo
Entre Cúcuta y Bucaramanga
Aceptando bondades de samaritanos de montaña

Cuesta abajo en camino a un futuro desconocido
Los cuerpos comienzan a recobrar el calor
Incluso en la frialdad del hambre
Desechando una estela de promesas incumplidas
En su marcha fuera del infierno

Pole Climbers Interrupt My Sleep

Beyond the borders
dispatches from the barricades
feed my awareness
wake me up from my corporate wife slumber
my legal immigrant privilege

whisper truth in the night of horror

Diaspora
turn canvas
cunning lyrics
into automatic weapons

At my desk   I am alone
I survive!

Pelotón de telecomunicaciones interrumpe mi sueño

Más allá de las fronteras
Los reportajes de las guarimbas
Alimentan mi conciencia
Me despiertan de este sueño de esposa corporativa
De mi privilegio de inmigrante legal

Susurran verdades en esta noche de horror

Diáspora
Transforma el lienzo
Versos picarescos
En armas automáticas

En mi escritorio   estoy sola
¡Sobrevivo!

Keyboard Warriors

Spoken word poem for several voices (synchronous or asynchronous) Multimedia video montage, where Venezuelan writers all over the world present their name and media/genre, including twitter, as if reciting a pledge.

We are the Keyboard Warriors
capturing pictures from the front line

signaling to those beyond Venezuela's border
We write for eyes that will never read

We translate the struggle to
speed your comprehension

We don't have a minute to lose
Children die in hospitals without chemo or dialysis

We build bridges for freedom
from the narco-cartel

> dressed in red
> crimson red

> blood in the hands of el burro
> blood of the libertarios massacred in the barricades

> blood covering dilapidated hospital floors
> blood on the faces of 400 political prisoners crushed in torture
> chambers

We are bloggers, novelists, script writers, journalists
Wordsmiths in a hundred second languages

And a nephew who composes on high heat
in the bleak upland of the Andes, in Venezuela

We craft jokes with the fabric of misery
and grandmother gives birth during the pandemic
Our mission

A clock on your bedside table

ringing in your ears
blaring the news of famine and barbarism

on the streets of
A wondrous tropical land

Guerreros del teclado

Poema para ser recitado por varias voces (sincrónicas o asincrónicas.) Video-montaje en el que escritores venezolanos de todo el mundo presentan su nombre y género, incluyendo sobre todo a los tuiteros, como quien recita un juramento.

Somos los guerreros del teclado
Capturamos imágenes en la línea de fuego

Enviamos señales más allá de la frontera
Escribimos para ojos que nunca verán

Traducimos la lucha
Para acelerar tu comprensión

Pues no tenemos un minuto que perder
Pues los niños se mueren en los hospitales sin quimioterapia ni diálisis

Construimos puentes para liberarnos
Del cártel de narcotraficantes

>> vestido de rojo
>> rojo rojito

>> como la sangre en las manos del burro
>> sangre de libertarios masacrados en las guarimbas

>> sangre que cubre el piso de los hospitales dilapidados
>> sangre en el rostro de 400 presos políticos encerrados en cámaras
>> de tortura

Somos blogueros, novelistas, dramaturgos y periodistas
Artesanos de la palabra en cien lenguas extranjeras

Y un sobrino que compone a fuego alto
En el páramo andino, en Venezuela

Hilvanamos chistes con la tela de la miseria
Porque la abuela parió en plena pandemia

Nuestra misión
Ser el despertador en tu mesa de noche

Una campana en tus oídos
Anunciando a voz en cuello la hambruna y la barbarie

En las calles
De una maravillosa tierra tropical

Baseball is in Our DNA

Right there
with the arepa y el cuatro
We should know by now

the key to this game is strategy

El béisbol está en nuestro ADN

Así como entendemos
La arepa y el cuatro
Deberíamos ya saber

Que la clave de este juego es estrategia

Baseball Farm

The sound of bottle lids hammered against the curb
Announces baseball season

Pitchers learn early the art of hard balls
incredible wrist maneuvers to make

Flattened bottle lids reach the catcher
squatting behind a carajito armed with a broom stick

Los pajaruos bat a rubber ball with closed fists
Run to imaginary bases in the common parking lot

The older "broders" play with 'palding' ball, bat, and mitts
at least some of them do

Those who already play in the senior leagues
or have two working parents

No diamonds or bases only a green space
marked by acacia trees, limited by

concrete walkways leading to the porches
of government-built duplexes with flat roofs

Expansive yards where our parents grow
Chickens, fruit trees and herbs

Where we know the families by the parents' occupations
The teacher, the policeman, the nurse, the union leader

It's a boys' game. Each practices the position
he will play into adulthood. In the sweltering heat

I call out foul, strike-out, low or high ball
while pretending to comb my doll's hair

Granja de béisbol

El sonido de chapitas martilladas en la acera
Anuncia la temporada de béisbol

Los pichers aprenden desde
Temprano el arte de la bola dura

Maniobras increíbles con la muñeca
Para lograr lanzar

Una chapa aplastada al cácher
Acuclillado detrás de un carajito armado con un palo de escoba

Los pajarúos batean peloticas de goma con el puño cerrado
Corren bases imaginarias en el estacionamiento común

Los broders mayores juegan con pelota de paldin, bates y guantes
Al menos algunos

Los que juegan doble A
O vienen de hogares con dos padres empleados

No hay diamantes, ni bases reales
Sólo este espacio verde marcado por acacias, limitado

Por aceras de concreto que conducen a los porches
de estas casas dúplex de techos planos construidas por un gobierno anterior

Casas de corrales amplios donde nuestros padres crían
Gallinas, árboles frutales y hierbas para la cocina

En este vecindario donde nombramos a las familias por las ocupaciones de los padres
Los maestros, el policía, la enfermera, el líder de sindicato

Es un juego de varones. Cada uno practica la posición
Que jugará de adulto. En medio del calor abrumador

Canto faul, estraik, bola alta o baja,
Mientras hago creer a los demás que estoy peinando mi muñeca de trapo

Winter Ball

In this field, the young men of my community
Learn the strategy of our beloved pastime

The pitcher fidgets with the red ridges
Feels the smooth white leather yielding to his digits

Communicates with the catcher. Squatting behind home
He interprets the silent signals of the defense

A mixed breed of hitters, aggressive or patient, fill the bases
while others sacrifice to advance peers from tree to tree

Stealers take the second, an occasional third
like Little O does, Chavista tenía que ser ese ladrón

The out-fielder may see no action
fall asleep at the job

or catch the occasional homerun with bare hands
closing the inning, keeping the feeling of that

'palding' ball in his hands far too long.
In the next inning, a pull hitter sends a fly

to la vieja Periche's porch. Perched like a hunting
cat on her chair, quickly takes the ball and closes the door

No begging or protest is enough to warm her iced chest
and return the ball. The game is postponed

When it resumes, another hot afternoon
The score is kept in mind because

now it is war. Frustrated, the opposing
team promises to square the third base steal. The loser

must take a chicken from la vieja Periche's yard
for the sancocho that will later be cooked in the hills

A homerunner with pigeon feet
Requires a designated runner to jump over the

concrete walkways, touch the three tree trunks,
Slide home short of slamming head against curb

The scream of OUT emerges from the soul
from the sidewalk, calls for a double-play fill the air

thick with the overpowering hum of the cicadas.
What happens in the infield next molds this generation's

character. This is how the war ends
with the stars of the game, a long lineage of infielders

Shortstops born in this neighborhood team players
who coordinate hustle defend even with deceit

if necessary. A one-bounce throw to first or third
for a spectacular triple-play

He is out. Game over
Let's steal that chicken and celebrate

Temporada de béisbol

En este campo, los hombres jóvenes de mi vecindario
Aprenden la estrategia de nuestro deporte favorito

El pícher soba las costuras rojas
Siente el cuero blanco ceder a la presión de sus dedos

Se comunica con el cácher. Acuclillado detrás del Jon
Interpreta las señales de la defensa

Una camada mixta de impulsadores, agresivos o pacientes, llena las bases
Mientras otros se sacrifican para avanzar a sus compañeros de equipo de árbol
en árbol

Un ladrón se roba la segunda, y de vez en cuando la tercera
Como Oswaldo, chavista tenía que ser ese ladrón

El jardinero puede que no vea acción
O que se quede dormido en su posición

O que ataje un jonrón ocasional a mano pelá
Cerrando el inin, mientras prolonga la sensación

de la pelota paldin en su mano por un ratico más
En el siguiente inin, un impulso

Envía un flai al porche de la vieja Periche, siempre a la cacería
Como una gata vieja, de un zarpazo atrapa la pelota y cierra la puerta

No hay ruego ni protesta suficiente para enternecer su pecho de hielo
Para que devuelva la pelota. Se pospone el juego

Cuando se reanuda, otra tarde calurosa
Se mantiene el puntaje porque

Ahora esto es guerra. Frustrados el equipo opositor promete
Saldar el robo de la tercera. El perdedor

Debe atrapar una gallina en el corral de la vieja Periche
Para el sancocho que arderá sin prisa en el cerro

Un jonronero cambeto
Requiere un corredor emergente que pueda saltar sobre

Las aceras de concreto, tocar los tres árboles,
Y deslizarse al Jon sin romperse la cabeza contra la acera

El grito de AUT surge de las entrañas
Desde las aceras, el clamor por un doble plei llena el aire

Denso con el canto ensordecedor de las chicharras
Lo que sucede en el campo corto ahora define el carácter

De una generación. Así es como debe terminar esta guerra
Con las estrellas del juego, un largo linaje de shortstops

Nacidos de este vecindario, jugadores en equipo
Coordinando, ajetreando, defendiendo incluso con el engaño

Si es necesario. Un piconazo a primera o tercera
Para un triple plei espectacular

Le sacan aut. Se acaba el juego.
Vamos a robarnos esa gallina y celebrar

Catch and Pitch

In baseball
never play with two mitts

For one hand must always be free

Ready to pitch

So is life

Atajar y pichar

En béisbol
Nunca se juega con dos guantes

Pues una mano siempre debe estar libre

Lista para pichar

Así es la vida

Freedom to Write

To raise my voice
Through the bars
of my own prison
syllabi lesson plans
paying for the luxury
of writing while living in LA
eyes heavy on keyboard
adding pectin to this thick jam of Priuses and Ferraris
Seasoned with jacaranda flowers
slowing my pace
through the traps
Abundant in this jungle
Mired in slush of algorithms

To speak for those
who can't dissent

I must earn my own
Freedom

Libertad de expresión

Para levantar mi voz
Desde esta prisión
Con barras de contenido programático
Planificación de lecciones
Para pagar por el lujo
De escribir mientras vivo en LA
Ojos pesados sobre el teclado
El cuello de la botella
De ferrarris y priuses
Decorado con flores de jacaranda
Desacelera el paso
A través de las trampas
Abundantes en esta jungla
Minada en los pantanales de algoritmos
Para hablar por aquellos
Sin libertad de expresión
Debo ganarme
Mi propia libertad

Oxygen Mask

Blurred line between urgency and necessity
A stream of crises

News of mass shootings
Racial violence
Sexual abuse of immigrant minors in detention
Jungle burning
Friends at risk of homelessness
Loss of voting rights

Unbalanced budget
Sanity at risk
Tears on a page
Smeared ink
Voice breaking
Incomprehensible hiccups

Flight attendants remind us
First put on your own oxygen mask
Look at the blinding reality
Without revealing tears

Subject and witness to devastation

Take a social consciousness vacation?
Disconnect, lock the checkbook?
Lose the key?

Take a stand?
Raise my voice?

Máscara de oxígeno

Líneas diluidas entre la urgencia y la importancia
Un torrente de crisis

Noticias de masacres en escuelas
Violencia racial
Abuso sexual de niños inmigrantes
En centros de detención
Selvas ardiendo
Amigos en riesgo de quedarse en la calle
Pérdida del derecho al voto

Desequilibran mi presupuesto
Arriesgan mi salud mental
Lágrimas en las páginas
Diluyen la tinta
La voz resquebrajada
En balbuceos incomprensibles

Las aeromozas recomiendan
Primero colocarse su propia máscara de oxígeno
Mirar a la hiper-realidad
Sin revelar tristeza

Protagonista y testigo de la devastación

¿Tomar vacaciones de conciencia social?
¿Desconectarse, guardar la chequera en una caja?
¿Extraviar la llave?

¿Tomar posición?
¿Alzar la voz?

Immigration Status: Grieving

Humanity lost in the dossier
Documents of birth
applications and fees
Pero sin papeles para el luto

Without the therapy of a funeral
No six-feet deep burials
Dressed in black
Next to a casket
Mourning forever

Grieving in the distance
No visas for grieving

Situación de inmigración: luto

Humanidad extraviada en un dossier
Certificado de nacimiento
Solicitudes y aranceles
Pero sin papeles para el luto

Sin la terapia de un funeral
Dos metros bajo tierra
Vestida de negro
Junto a un ataúd

Aflicción eterna

Duelo en la distancia
No hay visas para el luto

How to Escape Adverse Circumstances

Pack light
Emotional baggage slows the pace
Have a clear idea of where to put the next step
The name of a city
An address
The picture of the door you'll knock
The phone number of a friend of a friend
Be ready to clean toilets if needed
Rest when you can't go anymore continue after catching your breath

Look ahead
Locate the stomping grounds of those sharing your passion
Try new flavors   enjoy the seasons   learn the language
Make friends everywhere   shred prejudices
Tolerate the intolerant with dignity   be resourceful

Long-term plans reveal themselves in time
Reinvent yourself a thousand times over

Cómo escapar circunstancias adversas

Empaque ligero
La carga emocional desacelera el paso

Tenga una idea clara de dónde va a poner el pie
El nombre de una ciudad
Una dirección
La imagen de la puerta que tocará
El número de teléfono del amigo de un amigo
Esté dispuesto a limpiar pocetas de ser necesario
Descanse cuando ya no pueda más   continúe tan pronto pueda recuperar
el aliento

Mire hacia adelante
Ubique el vecindario de aquellos que comparten sus pasiones
Pruebe nuevos sabores   disfrute las estaciones   aprenda el idioma
Haga amigos dondequiera   abandone sus prejuicios
Tolere al intolerante con dignidad   añada herramientas a su caja de
recursos

Con el tiempo   los planes a largo plazo se revelarán a sí mismos
Continúe reinventándose

A Protective Shroud

Last night
During my brief slumber
I crocheted a protective cloak for you to take on your journey

At the airport
As I said my goodbyes
I placed the shawl on your shoulders
to keep you warm
to shield you
from the ravaging storm

I remain here
No devotions   no gods no *hail marys*
these words as offering
for you to come back to me

In the dream I told you,
Go home   dear friend/husband
to your mother
to our homeland
to the war against the impostor
on your lips   my kisses
on your shoulders   my tears

While I remain here
Holding onto what we used to be

Manto protector

Anoche
En mi breve sueño
Tejía un manto protector para que llevaras en tu viaje

En el aeropuerto
Cuando te dije adiós
Coloqué el abrigo sobre tus hombros
Para darte calor
Y protegerte durante
La tormenta salvaje

Me quedé aquí
Rezando a través de este poema
Sin oraciones   ni dios ni santamarías
Sólo estas palabras como ofrenda
Para que vuelvas a mí

En el sueño te decía
Vuela a casa   querido amigo/esposo
Ve con tu madre
A nuestra tierra
A la guerra contra el tirano
Sobre tu boca   mis besos
Sobre tus hombros   mis lágrimas

Mientras me quedo aquí
Aferrada a lo que alguna vez fuimos

Passion Fruit Mousse and a Cappuccino

I am craving mousse de parchita with a cappuccino

Sweet smell of grass calms all hesitation
Vintage Yamaha XS 650 vibrating between legs
on the way to secret location
I bypass
National Guard checkpoints
Colectivos, the paid assassins
Express kidnappers
and La Llorona walking around with a crown on her head

Bachaqueros
hoarding condoms
sell me two tits   small plastic bags
50 grams of coffee and milk
Useless bolívares bills blanketing the streets of my neighborhood
Swirl in the wind as I speed by on my bike
Past a tiger head laying in a pile of rubbish
Rats nibbling on it
Shortage of face masks
and latex gloves warn against
COVID19 house visits

> I arrive at this darkness
> where desire awaits me
> Tantalizes my taste buds
> Throws me inside out
> raw   vulnerable   exposed
> blue diamonds sparkling on my skin
> until that turn arrives
> at the bottom of the tart
> I submit to you
>   bountiful   fruit of passion
> savoring the last creamy bite

Back at home
The tits offer a weak rendition

of the cappuccino I anticipated
Reminding me that to stay alive

I must dare to ride my bike into the night

Mousse de parchita con un cappuccino

Se me antoja un mousse de parchita con un cappuccino

El olor a hierba dulce calma mis inhibiciones
Una Yamaha XS 650 vibra entre mis piernas
En camino al lugar del encuentro
Esquivo las alcabalas de la Guardia Nacional
Los colectivos, esos asesinos a sueldo
Los secuestros exprés
Me escondo de La Llorona que anda por ahí con su corona en la cabeza

Los bachaqueros
Acaparando los condones
Me venden dos tetas   unas bolsitas plásticas
Con 50 gramos de café y leche en polvo
Al acelerar mi máquina
Bolívares desechables cubren la calle de mi vecindario
Bailan en remolinos
Paso por la cabeza de un tigre sobre un montón de basura
Ratas de fiesta sobre sus ojos
Escasez de máscaras y
Guantes de látex me alertan
En contra de visitas a domicilio en tiempos de COVID 19

> llego a esta oscuridad
> donde el deseo me espera
> tienta mis papilas gustativas
> me voltea al revés
> en carne viva   vulnerable   expuesta
> diamantes azules destellan en mi piel
> hasta que llego a ese punto
> al fondo de la tarta
> me abandono al placer
>   prodigioso   fruto   de pasión
> saboreo la crema del último pedacito

De vuelta a casa
Las tetas ofrecen un guarapo débil

Una imitación vil del cappuccino anticipado
Recordándome que para mantenerme viva

Debo atreverme a montar mi moto a media noche

Transformations / Transformaciones

Poetry is the Life of the Angel of Invention

I grow up in a country with soap opera crimes, where the wanderer cries when he remembers in dreams his luminescent past, and awakens on the streets broken by a tormented and blind candle.

Hope is the imperfect poetry and maybe we will never know the end of this story of colors and lies.

I write to paint the soul with the tones of a withered voice; I compose like one who cooks on high heat.

The thorns of the angel planted on the sphere of the verb are colorful rebellions.

La poesía es la vida del Ángel Inventor

Crezco en el país donde hay crímenes de novela, donde llora el caminante al recordar soñando su pasado luminoso, y despierta en las calles destrozadas por la vela atormentada y ciega.

La esperanza es la poesía imperfecta y quizás no se sepa nunca el final de esta historia de colores y mentiras.

Escribo para pintar el alma con la tonalidad de voz marchita; compongo como quien cocina a fuego alto.

Las espinas del ángel plantadas en la esfera del verbo son rebeldías coloridas.

Felipe Itriago
Mucuchíes, Venezuela

The Experience You Need

The experience that you are having

> Loving without certainty of a tomorrow
> without reciprocity
> in the depth of this confinement

Necessary experience
in the never-ending task

of becoming

La experiencia que necesitas

La experiencia vivida

>   amar sin la promesa de un mañana
>   sin reciprocidad
>   en la profundidad de este confinamiento

Experiencia necesaria
En la tarea inacabable

De transformación

Dreaming of Barlovento

We exhale in ecstasy, and in that communion, we become mythical. Drums make my hips sway with the rhythm of passion and the memories of the hot land of my youth.

The *parranda* that honors the black saint, San Juan, enters every house on the main street of Caucagua. They present San Juan's image to each home in the town center. Bottles of dark rum pass from hand to hand and mouth to mouth while women take turns worshiping the saint with their dance. Soon the procession moves to the town square.

Our eyes meet in Curiepe. You fight for your space at the center of the plaza. My luscious behind governs my body. We smell the strong essence of desire. I see myself in your pupils, drunk of *la fulía* and drunk of you. In this quadrilateral space there are no distinctions. There is no knowledge, no culture, no manners. All past is forgotten; all future is futile.

You are Pegasus, I, La Gran Garza Azul, flying side by side. The humid air cools our hot bodies.

We glide over tropical forest where some of my ancestors met with chains around their feet while others had whips in their hands. We hover over cocoa and café plantations, but we can't see their fruits because they are protected from the elements by the prodigal shade of ancient trees. We fly over women grinding corn at two hands in a *pilón*. We hear them humming the cunning verses of their chant.

We cross over the top of Mountain of *Zamurito* and head North to see the pristine coves of the coast. We pass slightly over and observe people basking naked on the turquoise beaches unaware of our curious view.

Nearby people are dancing to the African beat on the streets of Osma, Todasana, Chuao. They wave at us, as if it were ordinary for them to see the exuberant Great Blue Heron and Pegasus passing over their magic land. Intoxicating aroma of cocao beans drying in the sun perfumes the humid air.

Sotavento takes us to the East and we are now over a forest of coconut trees in Machurucuto receiving the last rays of the sun. We descend and swim in the warm waters of the Caribbean. Later we lay our exhausted bodies on the beach and fall asleep under a stellar show.

I wake up to the rustling of sheets and the aroma of robust coffee. You sit next to me, kiss my forehead, and say "Buenos Dias, mi *Negrita*."

Sueño con Barlovento

Exhalamos en éxtasis, y en esta comunión, nos convertimos en un mito. El tambor hace que mis caderas ondule al ritmo de la pasión y de los recuerdos de la tierra caliente de mi juventud.

La parranda que honra al santo negro, San Juan, entra en cada casa de la calle principal de Caucagua, y se presenta a cada familia en el casco central. Las botellas de ron añejo pasan de mano en mano y de boca en boca mientras las mujeres se turnan venerando al santo con su baile. Pronto la procesión llega a la plaza.

Nuestros ojos se encuentran en Curiepe. Te ganas tu espacio en el centro de la plaza. Mi grupa suculenta gobierna mi cuerpo. Aspiramos la esencia fuerte del deseo. Me veo en tus pupilas, embriagada de la fulía y de ti. En este cuadrilátero no hay distinciones. No hay saber, ni cultura, ni modales. Todo pasado se olvida. Todo futuro es inútil.

Tú eres Pegaso, yo, la Gran Garza Azul, volamos uno junto al otro. El aire húmedo refresca nuestros cuerpos ardientes.

A Barlovento nos deslizamos sobre un bosque tropical donde algunos de mis ancestros llegaron con los pies encadenados mientras los otros portaban látigos en sus manos. Planeamos sobre haciendas de café y cacao, pero no podemos admirar sus frutos pues están protegidos por la sombra extravagante de árboles antiguos. Volamos por encima de unas mujeres machacando maíz en un pilón de dos manos. Escuchamos tararear los versos picarescos de su canto de trabajo.

Cruzamos las montañas de Zamurito y nos dirigimos al norte, a las ensenadas de la costa, donde observamos cuerpos desnudos asoleándose en una playa turquesa sin advertir nuestra mirada curiosa.

Cerca de allí los vecinos de Osma, Todasana, y Chuao bailan ritmos africanos en la calle. Nos saludan, como si se tratara de un hecho cotidiano ver a la exuberante Gran Garza Azul y a Pegaso volar sobre su tierra de magia. El aroma del cacao recién cosechado secándose al sol perfuma el aire húmedo.

Sotavento nos lleva al este y ahora estamos dentro de un cocotal en Machurucuto recibiendo los últimos rayos de sol. Descendemos para nadar en las aguas cálidas del Caribe. Más tarde, posamos nuestros cuerpos exhaustos en la playa y nos dormimos bajo un show estelar.

Me despierto con un murmullo de sábanas y el aroma del café recién colado. Siento tu presencia a mi lado, me besas la frente, y dices, "Buenos días, mi Negrita."

No Longer of This Earth

Today you tell me
You've become a savage
All of us have

It's hard to believe
Because what I remember of you
Is the smell of medlar
between your legs

going easy on the pedals
of the white Dodge Dart
sometime in 82

We spin wheels
Eat subsidized boxes of rotten food
to entertain our hunger
not enough protein to nourish hope

Moral fabric torn
Crime validated as a way of living
sacrificing tigers for the illusion of immortality

In the pandemic
without internet or electricity to attend school
We plant seeds of acetaminophen to cure our diseases

We are all savages now
Metamorphosed into racoons feeding from garbage trucks
We are no longer of this earth

Along the streets of our hometown
Smiling to passersby
Your human voice mumbled
Si, mami
as I devoured you inch by inch with my lips

Was I a savage then?

Am I a savage now?

Remembering our youth
in that vast space between your horror and my comfort?

Ya no somos de este mundo

Hoy me dices
Que te has convertido en un salvaje
Todos lo somos

          me cuesta creerte
          porque lo que recuerdo de ti
          es el olor a níspero
          entre tus piernas

          enclochando suavemente
          tu Dodge Dart blanco
          por ahí por el 82

Le damos la vuelta a la rueda
Comemos cajas de comida podrida
Para entretener el hambre
No hay proteína suficiente para alimentar la esperanza

La estructura moral deshecha
Se valida al crimen como forma de vida
Se sacrifican tigres por la ilusión de la eternidad

En la pandemia
Sin internet o electricidad para ir a la escuela
Plantamos semillas de acetaminofén para curar nuestras enfermedades

Todos somos salvajes ahora
Metamorfoseados en mapaches comiendo del camión de la basura
Ya no somos de este mundo

          en las calles de mi pueblo
          sonriéndole a los peatones
          tu voz humana susurraba
          Sí, mami
          mientras te devoraba centímetro a centímetro
          con mis labios

¿Era una salvaje entonces?
¿Lo soy ahora

Al recordar nuestra juventud
Desde este vasto espacio entre tu horror y mi comodidad?

Banyan Grove

South Coast Botanical Garden, Palos Verdes Peninsula (LA County).

The massive Moreton Bay Fig Tree
Stands at the center
of this man-made
system of superficial roots
Growing fast
Robust
Displaced
in a foreign land

Each tree holds its place
contained within the boundaries
of the roads
around them

Like us
so far away from
shade of the forest

Always uncomfortable

Marked streets limiting our expansion

Yet we hold each other

Thrive

Arboleda de Banyan

(Jardín Botánico de la Costa Sur, Península de Palos Verdes, Condado de Los Ángeles)

La higuera maciza de la Bahía Moretón
Erguida al centro
De este sistema de raíces
Superficiales construido por el hombre
Crece rápido
Robusta
Desplazada
En una tierra extranjera
Cada árbol autosuficiente
Confinado por
La carretera
A su alrededor

Como nosotros
Tan lejos de
La sombra del bosque

Siempre incómodos

Calles señalizadas limitan nuestra expansión

Y sin embargo   nos apoyamos unos a otros

Prosperamos

Rediscovering

In the beginning, it was
I, and a tiny He

When I met You
You and I
Became We, with a tiny He

Then, a tinier He
Came along
And We were whole

    Immigration unhinged me
    at a cellular level
    that passport
    with its Canadian "landed immigrant" document
    commemorating my entry into an anglo reality
    transformed me

For a while
WE were
You and I and the two He's
With I
Pushing   cheering   supporting

WE
Survived   thrived   succeeded
With You and the He's
Winning the most
While the I
Fell further behind the
WE

    With time
    The passport disappeared somewhere inside
    A kitchen drawer
    with the discarded odd objects of domesticity
    and broken promises of marriage
    The symbol of my identity

Lost citizenship of the land that witnessed my birth
Where I lived for the first 32 years of my life
with my dream of a PhD in Latin American Literature
Resting on my sheets besides my sexuality
Rendered dormant by a chemical straitjacket

Uprising
from symptoms
of abiding disappointments

I step away from the We
To become

In my exodus I took
only the tools for survival
        the broken golden shackle
        a museum piece inside a dark box
weaning off the last cocktail
not knowing the entire arch of my story

Aware
Rediscovering

I
away from You
So that I
Can become
Whole again

I found my old Venezuelan passport
Held the contemporary history of my homeland
besieged, looted, raped
enslaved, forced to give up its original name
Baptized in the language of agony
Branded with cliché symbols
        a new star a horse looking left and a constitution
        fossilizing power in the hands of the same gang leader
        per secula seculorum

when hers were already unique

I encountered a bizarre alternate reality
where ghosts roam the empty corridors of apartment buildings
mothers give birth to still dreams

In this becoming
I regain contact with my spirituality
tucked in the glossaries of resentment
forgiving
my ailing and aging parents of their failure to love me
and the barbarians who strangle our people
pledging allegiance only to
the commandment of love
without fear of unwanted pregnancies or malas lenguas
A woman in ownership of her sexuality
Learning to accept rejections
Delivering herself the daily bread
Subject and witness of this story

Rediscovering

Morena, loca, venezolana
writer consciousness-shifter teacher
Three nationalities
pierced into my complex identity
but without an entry visa to my homeland

Joining the diaspora of dissent
From Guarenas, Guatire, Mucuchies to Los Angeles
Uprising for me
And for you
Mother Land
Venezuela
Together with fellow Guerreros del Teclado
in our dens around the world

Redescubriendo

Al principio, era
Yo, con un pequeño él

Cuando te conocí
Tú y yo
Nos convertimos en nosotros, con un pequeño él

Luego llegó un él más chiquito
Y estuvimos completos

> la inmigración me desencajó
> a nivel celular
> ese pasaporte
> con el documento "landed immigrant" canadiense
> conmemorando mi entrada
> a esta realidad anglo
> me transformó

Por un tiempo
Fuimos
Tú y yo y los dos él
El yo
Empujando   animando   apoyando

Nosotros
Sobrevivimos   progresamos   llegamos a algún lado
Con el tú y los él
Ganando la mayor parte
Mientras el yo
Se fue quedando cada vez más atrás
Del nosotros

> con el tiempo
> el pasaporte desapareció en algún lugar dentro
> de una gaveta de la cocina
> con los objetos descartados de la
> vida doméstica y

las promesas conyugales incumplidas
el símbolo de mi identidad
la ciudadanía del país testigo de mi nacimiento
donde viví mis primeros 32 años
con mi sueño de un PhD en Literatura Latino Americana
descansando sobre las sábanas junto a mi sexualidad
aniquilada por una chaqueta de fuerza química

alzamiento
de los síntomas de las
decepciones duraderas

Me separé del nosotros
Para transformarme

en mi éxodo llevé
sólo lo necesario para sobrevivir
la esposa dorada rota
una pieza de museo en una caja oscura
destetándome del último coctel
sin saber el arco completo de mi historia

Consciente
Redescubriéndome

Yo
Lejos del tú
Para completarme
Otra vez

conseguí mi viejo pasaporte de la República de Venezuela
pesado con la historia contemporánea de mi tierra natal
sitiada   saqueada   ultrajada
esclavizada y forzada a entregar su nombre original
bautizada en el idioma de la agonía
marcada con símbolos de cliché
una nueva estrella   un caballo mirando a la
izquierda   una constitución fosilizando el poder en

manos del mismo adalid
per secula seculorum
cuando los suyos eran ya únicos

encontré esta realidad estrafalaria
donde los fantasmas deambulan por los pasillos de edificios baldíos
donde las madres paren sueños mortinatos

En esta transformación
Retomo el contacto con mi espiritualidad
Insertada en el glosario del resentimiento
Perdonando
A mis padres por su incapacidad de amarme
Y a los bárbaros que estrangulan a mi gente
Jurando lealtad sólo al mandamiento del amor
Sin temor a embarazos indeseados ni a las malas lenguas
Una mujer dueña de su sexualidad
Aprendiendo a aceptar rechazos
Procurando su propio pan de cada día
Sujeto y testigo de esta historia

redescubriendo

Morena   loca   venezolana
Escritora   procuradora de conciencias   maestra
Tres nacionalidades
Tatuadas en mi compleja identidad
Pero sin visa de entrada a mi país natal

Conectándome a la diáspora de la disidencia
De Guarenas, Guatire, Mucuchíes a Los Ángeles
Levantándome por mí misma
Y por ti
Madre Patria
Venezuela
Junto a los Guerreros del Teclado
En nuestras guaridas alrededor del mundo

Additional Acknowledgements

I owe my most sincere gratitude to all the individuals and organizations that accompanied me in this project.

To Xochitl Julisa Bermejo for her *Poetry as Survival* class, where I wrote the premise for this book and a draft of the first three poems, and where I learned to detach myself from the painful subject in order to create beauty with my sorrow.

To Peter J. Harris brought the best in the revision stage of my creative process during the six weeks of our collaboration. Through rigor and honest criticism, he established a standard of excellence for me to work in future writing projects. His Socratic style turned my vision to the precise angle to show the human face of my subject, Venezuela.

To the *Anansi Writers Workshop* at World Stage in Leimert Park, Los Angeles, where I workshopped some of the pieces of this collection. To Hiram Sims, Shonda Buchannan, Jaha Zainabu, Michelle Williams, Lala Deville, October Blu, Jessica Gallion, Mike Bonifer, Wyatt Underwood, Maijoi Prophetic Spit, for the suggestions to the first drafts of those poems. Special gratitude to Mama V, for opening the World Stage community to me and welcoming me in her chu'ch every Wednesday evening.

To Mariano Zaro for editing the Spanish version of this collection and for his insightful comments. Nerio Guerrero, for offering solutions to my translation conundrum and gifting me with the knowledge of *tradaptations*. Juan Manuel Guilarte for guiding me to read Venezuelan voices of the diaspora.

To Leah Maines at Finishing Line Press for believing in this book, to Kevin Maines for his patience, and to Christen Kincaid for all her helpful suggestions.

To *Writing Alone Together (WAT)*, the virtual group of female writers, thank you for writing with me in the silence of online meetings during the long days of the pandemic. Colette Castor, Carla Sameth, Cybele Garcia Kohel, Thea Pueschel, Deborah Elder Brown, Tanya Ko Hong, and Flint. *Women Who Submit*, for pushing so hard for us to submit work to top tier publications. *South Bay Writers*, Tracey Dale, Jenny J. Chow, Robin Arehart, and Sherry Berkins, who offered me their encouragement and praise.

To Cynthia Alessandra Briano for her jovial friendship and bright support at the Rapp Saloon, and our midnight conversations about poetry and dancing. To Angela Franklin for all her support, encouragement, wisdom and love, through joy and tears.

To Conney Williams for inspiring some of these poems.

Agradecimientos adicionales

Debo mi más sincera gratitud a toods los individuos y organizaciones que me acompañaron en este proyecto.

A Xochitl Julisa Bermejo por su curso *Poetry as Survival*, durante el cual escribí la premisa de este libro y el borrador de los tres primeros poemas, y donde aprendí a separarme emocionalmente del sujeto doloroso para crear algo hermoso con mi dolor.

A Peter J. Harris extrajo lo mejor de en la etapa de revisión de mi proceso creativo durante las seis semanas de nuestra colaboración. A través del rigor y la crítica honesta, estableció un estándar de excelencia para todos mis futuros proyectos de escritura. Su estilo socrático le dio el ángulo preciso a mi visión para mostrar la cara humana de mi sujeto, Venezuela.

Al taller de escritura *Anansi* en el World Stage en Leimert Park, Los Ángeles, donde trabajé algunos de los piezas de esta colección. A Hiram Sims, Shonda Buchannan, Jaha Zainabu, Michelle Williams, Lala Deville, October Blu, Jessica Gallion, Mike Bonifer, Wyatt Underwood, Maijoi Prophetic Spit por sus sugerencias a los primeros borradores de estos poemas. Un agradecimiento muy especial a Mamá V, por presentarme a la comunidad del World Stage y darme la bienvenida en su "templo" cada miércoles por la noche.

A Mariano Zaro por editar la versión en español de esta colección y por sus comentarios incisivos. A Nerio Guerrero, por ofrecerme su sabiduría con respecto a mi dilema de traducción, y por regalarme el conocimiento de tradaptaciones. A Juan Manuel Guilarte por guiarme en la exploración de voces venezolanas en la diáspora.

A *Writing Alone Together (WAT)* grupo virtual quienes escribieron conmigo en el silencio de las reuniones en línea durante los días largos de la pandemia: Colette Castor, Carla Sameth, Cybele Garcia Kohel, Thea Pueschel, Deborah Elder Brown, Tanya Ko Hong, and Flint. Y a *Women Who Submit* por motivarnos a presentar nuestra escritura a las publicaciones de mejor calidad. *South Bay Writers*, Tracey Dale, Jenny J. Chow, Robin Arehart, y Sherry Berkins por alentar y elogiar mi trabajo.

A Cynthia Alessandra Briano por su amistad jovial y su apoyo luminoso en el

Rapp Saloon, y nuestras conversaciones de media noche sobre poesía y baile. A Angela Franklin por todo su apoyo, ánimo, sabiduría y amor, en la alegría y en el llanto.

A Conney Williams por inspirar algunos de estos poemas.

Lisbeth Coiman is a poet, educator, and cultural worker born in Venezuela. Coiman's wanderlust spirit landed her to three countries—from her birthplace to Canada, and finally the USA, where she self-published her first book, *I Asked the Blue Heron: A Memoir* (2017). Her poetry and personal essays are featured in the online publications: *La Bloga, Entropy Acentos Review, Lady/Liberty/Lit, Nailed, Hip Mama Magazine, Rabid Oaks, Cultural Weekly,* and *Resonancias Literarias.* In print media *Spectrum v.16, The Altadena Literary Review,* and *Accolades: A Women Who Submit Anthology.* An avid hiker, and teacher of English as a Second Language, Coiman lives in Los Angeles, CA.

Contact information: https://lisbethcoiman.com.
IG, TW, and FB

Lisbeth Coiman es una poeta, educadora, y trabajadora cultural nacida en Venezuela. Su espíritu viajero la llevó a tres países—desde su tierra natal hasta Canadá, y finalmente a los Estados Unidos, donde publicó su primer libro, *I Asked the Blue Heron: A Memoir* (2017). Su poesía y ensayos personales se han publicado en revistas digitales como *La Bloga, Entropy Acentos Review, Lady/Liberty/Lit, Nailed, Hip Mama Magazine, Rabid Oaks, Cultural Weekly,* y *Resonancias Literaria.* Su escritura también aparece en diversas antologías, *Spectrum v.16, The Altadena Literary Review,* y *Accolades: A Women Who Submit Anthology,* entre otras. Aficionada al senderismo, y maestra de inglés como segunda lengua, Coiman vive en Los Angeles, CA.

Información de contacto: https://lisbethcoiman.com
IG, TW y FB.

Felipe Itriago is a 19-year old poet and plastic artist. Itriago searches for signs of normalcy in the chaos, and through the arts, he attempts to survive the Venezuelan humanitarian crisis. Without employment and with limited educational opportunities, he continues documenting the struggle of his people both in verses, and on canvas. He lives with his parents and older brother in the spectacular Andes, in Merida, Venezuela.

Felipe **Itriago** es un poeta y artista plástico. Itriago busca rasgos de normalidad en el caos, y a través de las artes intenta sobrevivir la crisis humanitaria en. Venezuela. Sin empleo, y con limitadas oportunidades educativas, continúa documentando la lucha de su gente tanto en sus versos como en el lienzo. Vive con sus padres y su hermano mayor en las espectaculares montañas andinas, en el páramo Mucuchíes, Venezuela.

CPSIA information can be obtained
at www.ICGtesting.com
Printed in the USA
FSHW012340231121
86406FS